O manifesto do bebê unicórnio
Copyright © 2017 Dain Heer e Katarina Wallentin
ISBN: 978-163493-201-1

Tradução: Renata da Mata Garcia

Publicado por
Access Consciousness Publishing, LLC
www.accessconsciousnesspublishing.com

Impresso nos Estados Unidos da América
Facilidade, Alegria e Glória

O manifesto do bebê unicórnio

Quando um bebê unicórnio nasce no mundo, os outros unicórnios vêm correndo, galopando e saltitando, de todas as partes do globo.

E, um por um, eles se aproximam e sussurram
a verdade da existência nos ouvidos minúsculos,
fofos e pontiagudos do bebê unicórnio.

Aquelas palavras permanecem com ele pelo resto
de sua vida, para sempre enraizadas em seu pequeno
e suave coração das cores do arco-íris.

"Você é um presente", eles sussurram.

"Algo que o mundo nunca viu", eles dizem.

"Você é uma linda contribuição para o mundo e para nossas vidas, e somos extremamente gratos por você estar aqui".

"Sua presença faz o mundo brilhar ainda mais".

"Você traz possibilidades para este lugar que ninguém jamais viu antes".

"Sim", eles dizem suavemente, "às vezes será difícil, mas não se preocupe,
Bebê Unicórnio, estamos aqui para você. Estamos a seu lado.
Aos nossos olhos, nada que você fizer será errado".

Com frequência, eles repetem aquelas últimas palavras, acompanhadas pelo passo firme de seus cascos dourados:
"Aos nossos olhos, nada que você fizer será errado, Bebê Unicórnio.
Saiba disso, Bebê Unicórnio".

E então eles continuam: "Sua única tarefa é escolher quem você gostaria de ser, e daremos o melhor de nós para apoiá-lo em cada escolha que fizer.

Estaremos aqui, compartilhando nossos *insights*, sabedoria e consciência, fazendo tudo o que estiver ao nosso alcance para tornar sua jornada tão fácil e alegre quanto possível".

"Lembre-se", eles continuam, "acima de tudo,
Bebê Unicórnio, você não está sozinho.
Estamos aqui para você.
Sempre.

Somos gratos por sua existência
a cada momento de cada dia".

"Brilhe, lindo ser, brilhe!

Bem-vindo ao mundo e à nova realidade de possibilidades que você, simplesmente por estar neste mundo, ajudou a criar!".

"Agora é a sua hora", eles dizem e agitam suas crinas e, assim, uma chuva de estrelas cintilantes cai sobre o bebê unicórnio.

As estrelas fazem cócegas e o bebê unicórnio ri; uma linda risada, novinha em folha, nunca, jamais ouvida antes neste planeta.

Com aquele som tocando no universo
o bebê unicórnio está pronto para trotar
adiante e ser pura magia!

E, querido leitor, caso esteja se perguntando onde os bebês unicórnios podem ser encontrados, deixe-me contar a você um segredo:

Eles estão aqui mesmo, neste instante, lendo estas palavras...

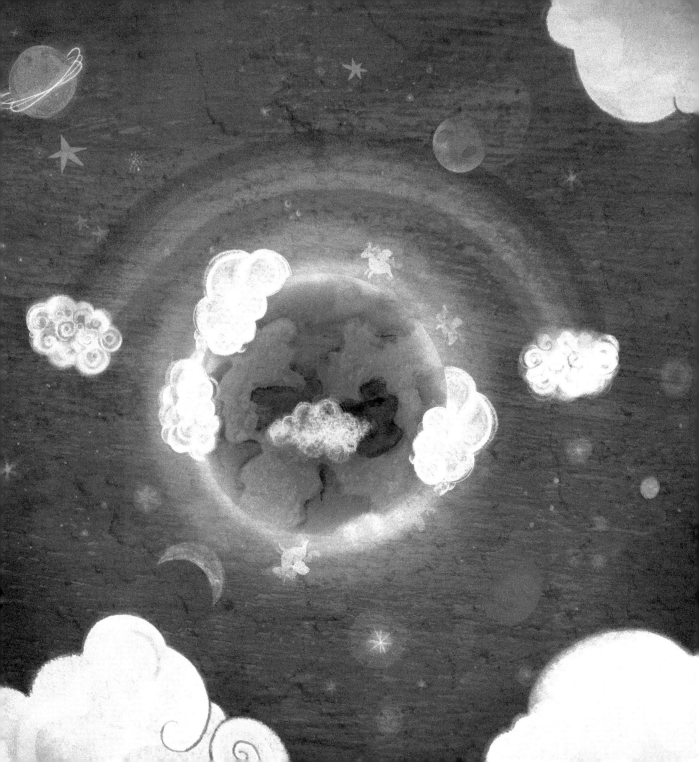

Você é um.

Você é um bebê unicórnio, meu amigo.

E agora é a sua hora.

AUTORES

Katarina Wallentin é uma ávida exploradora da mágica que, de verdade, é possível neste nosso lindo planeta. Vive na Suécia com sua filha que, definitivamente, é um unicórnio.
www.katarinawallentin.com

Dr. Dain Heer é um virtuoso da energia e um inovador, tendo 'encantamento de bebês' como sua menos conhecida especialidade. Reside no Texas, EUA, e este é seu primeiro livro infantil.
www.drdainheer.com

ILUSTRADORA

Nathalie Beauvois é uma ilustradora *freelance* que vive na Argentina, desenhando para o mundo. Adora ilustrar para crianças e tudo relacionado à vida cotidiana... especialmente comidas deliciosas!
www.childrensillustrators.com

Printed in the USA
CPSIA information can be obtained
at www.ICGtesting.com
LVHW071201250823
756172LV00013B/26